I fy Mumpy hyfryd
SH xx

Cyhoeddwyd yn 2019 gan Wasg y Dref Wen,
28 Heol Yr Eglwys, Yr Eglwys Newydd,
Caerdydd CF14 2EA, ffôn 029 20617860.
Testun a'r lluniau © 2018 Sue Hendra a Paul Linnet
Y Fersiwn Gymraeg © 2019 Dref Wen Cyf.
Cyhoeddiad Saesneg gwreiddiol 2018 gan Macmillan Children's Books,
20 New Wharf Road, Llundain N1 9RR
dan y teitl *Snowball*.
Mae hawl Sue Hendra a Paul Linnet i gael eu cydnabod fel awdur ac arlunydd y
gwaith hwn yn unol â Deddf Hawlfraint, Dyluniadau A Phatentau 1988.
Cyhoeddwyd gyda chymorth ariannol Cyngor Llyfrau Cymru.
Cedwir pob hawl, gan gynnwys yr hawl i atgynhyrchu'r gwaith yn ei gyfanrwydd
neu'n rhannol mewn unrhyw ffurf.
Argraffwyd yn China

Sue Hendra a Paul Linnet

Bela

Addaswyd gan Gwynne Williams

Roedd Bela'r belen eira
Yn byw ar ben y bryn

Ac meddai hi un bore,
"Dwi'n unig iawn fan hyn!

"Mi hoffwn fynd i chwarae
A sglefrio ar y rhew,
Cael gwneud dyn eira enfawr —
Un crwn â bol mawr tew.

"Dwi'n siŵr mai'r dref fach acw
'Di'r lle am hwyl a sbri!
Bydd lot o ffrindiau yno
I chwarae efo fi!"

Mi benderfynodd fentro
I lawr am dro i'r dre
Gan addo dŵad adre
Cyn pedwar am ei the.

A doedd na neb mwy llawen
Yn mynd am dro erioed

Ond ddaru hi ddim sylwi
Beth oedd o flaen ei throed.

A chyn i Bela druan
Ddweud, "Wwps! Wel dyna dric!"

Mi faglodd hi a llithro
I lawr y llethr slic.

A mwya roedd
hi'n rholio –
Yn wir, peth od
'di hwn –

Roedd Bela'n tyfu, tyfu

A mynd yn fwy
fwy crwn.

O achos, fel y troellai
Gan milltir gwyllt yr awr,

Roedd eira'n glynu wrthi

A'i throi hi'n Bela **fawr!**

A ddim yr eira'n unig
A godai hi ar hap –

Trwyn carreg,
breichiau brigog

A dafad, wir, yn gap!

"Help!" meddai Bela'n ddryslyd,
"Dwi'n tyfu'n fwy o hyd!"
"Me" brefai'r ddafad hithau,
"Dwi'n dal yn dynn fel glud!"

Roedd Bela'n dechrau blino.
Roedd ganddi hi ben tost!
"Mi hoffwn i fod adre
Yn bwyta ffa ar dost!"

Mi geisiodd hi arafu
Ond allai hi wneud dim,
Ond bownsio'n uwch fyth eto
A throi yn fwy fwy chwim.

Mi roliodd dros gwningen
Wrth ruthro'n gynt na chynt
Trwy lein o ddillad isa
Yn sychu yn y gwynt.

Edrychwch beth mae'n wisgo —
Y dillad isa glân
A'r gwningen fechan hirglust
A phâr o 'sanau gwlân!

Olwynion beic yn sbectol,

Belt pinc o selsig bras

Cariadon llon yn dathlu
Â chinio crand a gwin,

A chyn i'r Faeres bwysig
Gael dweud na be na bw

Aeth hithau efo Bela
I mewn trwy giât ...

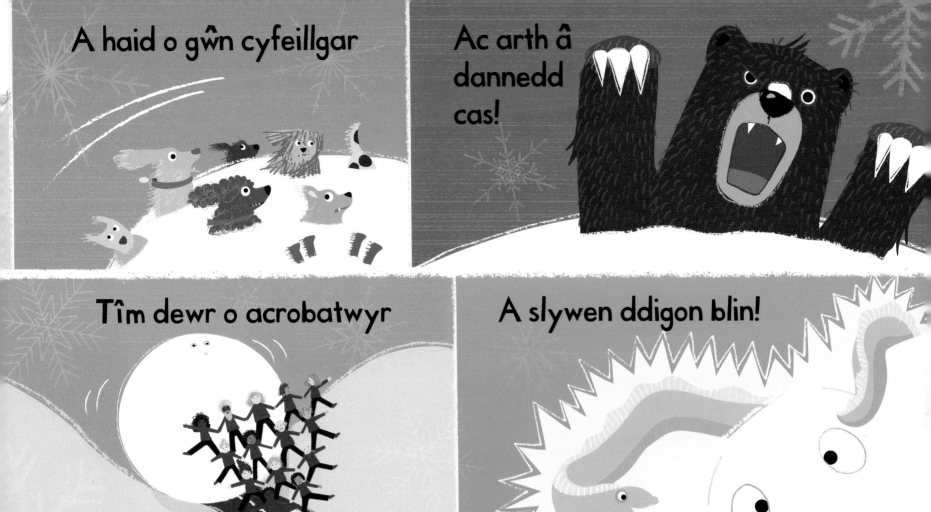

A haid o gŵn cyfeillgar

Ac arth â dannedd cas!

Tîm dewr o acrobatwyr

A slywen ddigon blin!

Y SW!

Roedd crocodeil trist yno
A theigr a jiráff,
Eliffant a hipo
A mwnci cyfrwys, craff.

Cyflymu a wnaeth Bela
A throi yn gynt drachefn
Ac roedd yr anifeiliaid
Yn sgrechian ar ei chefn.

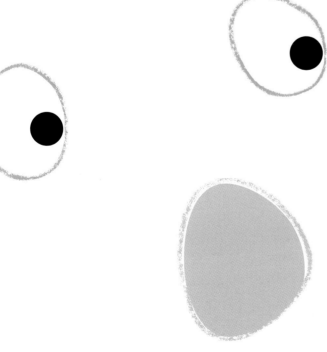

Mi wibiodd a sig-sagio
Fel mellten wen o'r ne
Gan ddŵad ar ei hunion
At ganol sgwâr y dre.

Ac wedi yr holl droelli
A'r dychryn mawr a'r braw
Mi stopiodd Bela'n sydyn
Â chlamp o glec a...

...WAW!

Allan â'r gwningen a'r ddafad fel ar ras,
Y dillad isa lliwgar a'r arth â'r dannedd cas,
Y sbectol oren naci, y cŵn a'r slywen flin,
Cariadon syn yn meddwl ble'r aeth eu potel win,
Y tîm o acrobatwyr yn rasio fel o'r blaen
A'r Faeres gegog bwysig yn dal i wisgo'i tjaen,
Y crocodeil a'r hipo, pengwiniaid a jiráff.
A hyn oedd yn rhyfeddol roedd pawb yn iach a saff!

Ac yno dan yr eira
Mae Bela, coeliwch fi,
'Di ffeindio ffrindiau newydd
Ac yn cael hwyl a sbri.

Ond wedi yr holl helynt
I ddod i lawr i'r dre,
Fydd hi, dwi'n siŵr, ddim adre

Mewn pryd i gael –